Marthe Pelletier

COEURS DE COW-BOYS

Illustrations de Richard Écrapou

la courte échelle

FAR WEST
D'AUTREFOIS

CHAPITRE 1

Le début de l'histoire

Au début de cette histoire, il y a un désert du Far West d'autrefois. Il déroule son sable blond, ses grosses roches et ses cactus à longs bras, jusqu'à une montagne bariolée rose et orangé qui barre l'horizon.

Dans ce désert, il y a une jeune fille qui galope en direction de la montagne, au-dessus de laquelle sautillent des notes de musique pop. Au creux de la vallée cachée derrière la montagne, dans une petite ville tout en stars et en néons, une vedette de la chanson donne un concert en plein air.

Cette jeune fille, appelons-la Ophélie, pour faire joli. Joli comme elle, et comme sa robe blanche qui brille au soleil, et comme ses bottes de cow-boy rouges qui semblent éclater de rire dans les étriers, et comme le chapeau de cow-boy rose qu'elle a enfoncé sur ses yeux, et… oui, bon, O.K., appelons-la Ophélie parce que c'est un beau nom.

Et soudain, l'héroïne (oui, oui, c'est Ophélie !) est attaquée par des bandits qui lui volent sa sacoche, ses belles bottes et son cheval.

Ophélie résiste, insulte les voleurs, tape du pied, mais ça ne donne rien, et les crapules détalent avec son cheval et le reste.

Alors, sans même penser qu'elle va salir sa robe blanche, elle s'assoit à l'ombre d'un cactus géant et laisse couler une larme. Une seule. La deuxième tremble encore dans ses cils quand une bande de jeunes cow-boys surgissent dans l'histoire, rattrapent les brigands, récupèrent la sacoche, le cheval, les bottes d'Ophélie et aussi celles de tous

les bandits. Les brigands repartent piteusement en chaussettes, tandis que Farès, le chef de la bande des bons, redonne son cheval et ses affaires à la jeune fille qui s'est relevée et qui applaudit.

Des étoiles scintillent dans les yeux de l'héroïne, conquise par la bravoure et le charme du chef de la bande. Farès (oui, oui, c'est le héros !) ne distingue toutefois pas son visage, à cause du chapeau rose qui l'ombrage. Mais le soleil fait briller les dents blanches d'Ophélie, qui sourit, et leur éclat rebondit dans les yeux noirs du héros.

Farès éclate de son rire pas croyable, bizarre mélange de chant d'oiseau et de hennissement de cheval.

Surprise, Ophélie porte la main à son chapeau et…

Le héros a tout juste le temps de se demander de quelle couleur sont les yeux de l'héroïne, avant que son propre rire le réveille.

CHAPITRE 2

Le bonheur

Eh oui ! Cette histoire commence par un rêve de Farès.

Et Farès est le héros de cette histoire, mais pas juste quand il dort (et rêve au Far West d'autrefois, qui était rempli de hors-la-loi sans foi ni loi). Il en est aussi le héros quand il est réveillé (et qu'il vit comme un cow-boy dans le Far West de 1970, où il n'y a plus de bandits, enfin presque plus).

En 1970, les brigands et les desperados, en bottes ou en chaussettes, ont quitté le vrai Far West depuis longtemps. Ces crapules ont déménagé dans les villes, où il y a beaucoup plus d'honnêtes gens à tromper ou à détrousser que dans les déserts, où il y en a vraiment très peu.

C'est pourquoi il n'y a pas l'ombre d'un seul bandit dans la vie réelle de Farès. Par contre, le désert aux cactus à bras et la montagne spéciale y occupent une place de choix.

Le héros habite en effet avec ses parents (ce qui se comprend facilement, puisqu'il n'a que douze ans et trois quarts), dans le ranch-hôtel qu'ils ont ouvert juste au bord de ce désert. L'hôtel s'appelle le Ranch de la Montagne, parce qu'on peut y admirer la montagne bariolée qui a l'air d'un décor de film de cow-boys.

Au Ranch de la Montagne, Farès est aussi le chef d'une vraie bande de cow-boys.

Cette bande est composée de garçons de son âge. Certains d'entre eux sont de jeunes clients de l'hôtel (on les appelle « les nouveaux »), alors que d'autres sont des fils d'employés (eux, ce sont « les anciens »).

Les parents des nouveaux sont des touristes fanatiques des films westerns et, le temps de leur séjour au ranch, ils peuvent entrer dans la peau des cow-boys de cinéma. Wow !

C'est donc avec passion que ces touristes-là triment sous le soleil brûlant : ils aident à rassembler les troupeaux pour les mener vers d'autres pâturages, ils essaient d'attraper des vaches au lasso, ils construisent de nouveaux enclos, ils marquent au fer rouge les fesses des veaux. Le soir venu, ils sont un peu éreintés, mais c'est avec joie qu'ils font griller leurs steaks sur un grand feu de bois, au son d'une musique country jouée à l'harmonica.

Toute la journée, ils s'esquintent aussi le derrière sur la selle de leur cheval loué. Ce n'est pas grave, car c'est le prix à payer pour vivre leurs vacances de rêve.

Les jeunes de la bande se prennent également pour des cow-boys (bien qu'à leur âge, les vaches ne les intéressent pas, sauf en steaks grillés). Avec Farès, ils écument plutôt le désert en quête d'aventures, comme se balader par les nuits sans lune (ce qui prouve leur bravoure), chasser les coyotes et les serpents (ce qui est plutôt imprudent, surtout avec les serpents) et d'autres activités du même genre, tout à fait palpitantes pour des garçons de douze ou treize ans.

On les appelle « la bande à Farès », parce que Farès est leur chef, naturellement.

Et Farès, c'est tout un chef !

Ses hommes obéissent aux plus petits frémissements de ses sourcils, qui sont noirs et fournis, à ses moindres signes de tête, qu'il a fière et belle (oui, oui, le héros est beau !).

Par exemple, si Farès lève le menton d'un coup sec vers la droite, les gars lancent leurs montures à toute allure et galopent derrière lui, en évitant plus ou moins habilement les grosses roches et les cactus géants.

Plusieurs jeunes clients du Ranch de la Montagne veulent entrer dans la bande à Farès. Parce que Farès a quelque chose qui les fascine.

Ils ne savent pas trop ce que c'est, mais ils sentent bien que ça vient du fond de lui. Ça traverse les pores de sa peau et ça brille comme la lumière du soleil.

Certains garçons parlent de force mystérieuse ou de pouvoir secret.

Wilfredo, lui, affirme que c'est du bonheur.

Et Wilfredo sait ce qu'il dit. Parce que Farès est son ami.

Wilfredo est le troisième personnage principal de cette histoire et il est déjà arrivé au ranch-hôtel. Mais, à l'heure qu'il est, il dort encore.

Ophélie, elle, ne reviendra dans l'histoire qu'une semaine plus tard. À ce moment-là, elle débarquera au ranch avec sa tante, car à treize ans on ne voyage pas encore toute seule, même si c'est ce qu'on souhaiterait le plus au monde.

CHAPITRE 3

Le chef et l'ami du chef

Le rêve et le rire de Farès sont restés du côté de la nuit.

Lui, il vient d'ouvrir les yeux sur ce 24 juin ensoleillé. Il ne bouge pas. Il jette seulement un coup d'œil au réveille-matin : 7 h 15. Puis, il referme les yeux et commence à attendre.

Quand Farès se réveille, il attend toujours.

Lundi, mardi, mercredi, jeudi, vendredi, samedi, et dimanche aussi, Farès attend.

Farès est peut-être le gars le plus patient du Far West.

En tout cas, il est plus patient que son père, que sa mère, que tous les gars de sa bande et, même, que tous les bandits qu'il rencontre dans ses rêves.

Dès le réveil, que ce soit lundi, mardi, mercredi, ou n'importe quel autre jour de la semaine, il attend qu'on vienne le débarbouiller et lui enfiler ses jeans, sa chemise, ses bottes et son chapeau de cow-boy.

Après, il attend qu'on le fasse manger, qu'on essuie sa bouche, qu'on l'assoie dans son fauteuil roulant, qu'on lui ouvre la porte de sa chambre et la porte de l'entrée.

Farès aimerait bien que le ranch soit équipé de fabuleux gadgets électroniques, comme dans *Star Trek*, sa série télé préférée : des portes qui s'ouvrent toutes seules, des bras robotisés, des ordinateurs qui parlent...

Toutefois, ces beaux gadgets n'existent pas encore en 1970, alors il attend, parce que son corps est paralysé.

Durant la journée, il attend, tant et tant qu'il ne le remarque presque plus.

Hum… Il y a tout de même un truc auquel il ne s'habitue pas : attendre que les nouveaux membres de la bande comprennent ce qu'il veut dire. Et ça, souvent, ça prend un temps fou !

Dans la tête du chef, pourtant, les idées roulent à 100 km/heure. Le problème, c'est qu'elles ne traversent pas la frontière de ses lèvres.

Farès ne dit jamais un mot de trop.

Farès ne dit jamais un mot, tout court.

Il est muet.

Ce qui ne l'empêche pas d'être génial ! Il a inventé tout un vocabulaire juste avec les mouvements de sa tête et les mimiques de son visage. C'est une langue complète et très compliquée, surtout lorsqu'il y ajoute les codes spéciaux exprimés par l'index de sa main gauche, un doigt long, élégant et presque pas paralysé, celui-là.

Quand un nouveau entre dans la bande, il s'arrache des tas de cheveux avant d'arriver à piger les ordres ou les blagues de son chef génial, mais muet. En fait, au début, il ne comprend d'habitude que deux mots : oui et non. Parce que Farès les mime comme tout le monde, en bougeant la tête de bas en haut ou de gauche à droite.

Par chance, pour tous les autres mots, Wilfredo se fait un plaisir d'aider le nouveau, avant qu'il soit chauve, le pauvre. Parce que lui, Wilfredo, il déchiffre tout ce que son chef raconte.

EXPRESSIONS À S'ARRACHER LES CHEVEUX

QUI EST-CE?

C'EST BEAU!

Il lit dans les yeux de son ami aussi bien que dans son livre préféré, une bédé de cow-boys qu'ils ont dévorée ensemble quand ils étaient petits.

À cette époque-là, les deux garçons fréquentaient la même école dans la grande ville où Wilfredo habite encore. Depuis que les parents de Farès ont ouvert l'hôtel, Wilfredo y passe toutes ses vacances, du premier jour jusqu'au dernier...

Pour Wilfredo, le plus important dans la vie, depuis qu'il est tout petit, et à présent qu'il est pas mal grand, le plus important ce matin, et les jours d'après, et sans doute pour toujours, parce que ça ne changera jamais, il en est sûr, ici au ranch, et absolument partout où il ira dans le monde entier, et... oui, bon, O.K., disons simplement que le plus important pour lui, c'est son ami Farès.

Toutefois, en ce moment (7 h 30 du matin, 24 juin 1970) et en ce lieu (lit de la chambre 104, au rez-de-chaussée du Ranch de la

Montagne), Wilfredo dort encore et Farès a très hâte qu'il se réveille.

Voilà que, tout à coup (à 7 h 32), Wilfredo cligne des yeux, rejette sa couverture, essuie une goutte de sueur sur son front, étire un bras et allume la super télé en couleurs fournie par l'hôtel. (C'est difficile à imaginer, mais en 1970 la plupart des télés sont encore en noir et blanc et trônent au milieu du salon.) Il est de très bonne humeur parce que c'est le premier jour des vacances d'été. Dans son imagination, ce congé est une longue route qui s'étire paresseusement dans le désert jusqu'à un horizon lointain, très lointain, et voilé d'une brume bleue en plus. (La brume, il se demande lui-même pourquoi elle est bleue.)

Dans la chambre voisine (la 102, au rez-de-chaussée de l'hôtel), bien calé dans son fauteuil roulant électrique, Farès déguste à présent le petit déjeuner spécial de ce jour très particulier, un gâteau au chocolat garni de crème fouettée, que sa mère adorée lui sert par petites bouchées. Il se trouve chanceux. Un peu à cause du gâteau, bien sûr. Beaucoup à cause de sa mère, cela va de soi. Et aussi, comme un cadeau longtemps attendu, à cause de Wilfredo, arrivé la veille, juste avant la nuit.

Dans sa chambre, Wilfredo, lui, s'imagine à la place d'un joueur de l'équipe de soccer qui gagne à la télé. Il se voit marquer un but, sauter de joie et se vider sur la tête une bouteille d'eau glacée tandis que la foule l'acclame. Il compte trois buts avant de se lasser. Il a chaud, il a faim, et il n'a plus envie d'être au lit. Alors, d'une voix forte, il chante sur trois notes, en faussant affreusement : « Allôôôôô ! Allôôôôô ! Y a quelqu'un ? », dans l'espoir qu'on vienne vite l'aider à se lever. Il ne peut pas le faire seul, lui non plus, car ses jambes sont trop faibles pour le porter jusqu'à son fauteuil roulant.

À l'instant précis où il entend l'appel de son ami, Farès oublie son gâteau. Car, pour lui, l'amitié est la chose la plus précieuse qu'on puisse trouver sur la planète Terre, et sans doute sur les autres planètes aussi.

Pour fêter leurs retrouvailles, les deux amis flâneront ensemble, du matin jusqu'au soir. Ce n'est que le lendemain qu'ils songeront à partager leur temps (et les restes du gâteau) avec les gars de la bande.

CHAPITRE 4

La bande à Farès

Quelques jours plus tard, dans la salle à manger déguisée en saloon, les gars de la bande s'empiffrent d'un vrai petit déjeuner de cowboys : œufs brouillés, bacon, pain grillé et fèves au lard.

Depuis le début des vacances, c'est toujours à ce moment-là que le chef dévoile à la troupe nouvellement formée (trois anciens et quatre nouveaux) ses projets d'activités. Les jours précédents, il a gardé la bande aux environs du ranch (rodéo, lancer du lasso, visite au vivarium du coin...), mais aujourd'hui il veut partir à la rencontre des chevaux sauvages qui habitent le désert. C'est bien sûr Wilfredo qui traduit le tout en français, car même les anciens ne comprennent rien quand Farès gesticule autant que ça.

Les nouveaux préféreraient s'aventurer dans le village fantôme dont on leur a parlé. Le chef remet cette expédition à plus tard, quand ils seront plus expérimentés. « La piste qui mène à ces ruines, c'est pas du gâteau ! » explique Wilfredo. (Que tous les curieux se retiennent un peu, ce village sera bientôt visité. Promis, juré, craché !)

La bande se rassemble à l’orée du désert, piaffant d’impatience jusqu’au signal du départ.

ALLONS-Y, LES GARS !

Farès roule devant, parce que c’est le chef et qu’un chef ne se tient jamais derrière, non mais !

Et aussi parce qu’il est très rapide en fauteuil roulant. Il faut dire qu’il conduit depuis longtemps. On pourrait même dire que son fauteuil est l’autre moitié de son corps. Son cerveau se connecte directement aux commandes cachées dans son appuie-tête et les quatre grosses roues sont devenues ses jambes...

Quand Farès court en quatre roues, il est heureux.

Ce matin, dès que ses jambes de caoutchouc touchent le sable doré, le chef lance ses bras en avant et les gars accélèrent l'allure. Après trois jours d'efforts acharnés, les nouveaux ont au moins pigé les ordres essentiels, qui sont le signal du départ et ces deux autres-là :

Comme ils ne sont pas paralysés, en entier tel que Farès, ni même à moitié tel que Wilfredo, les gars de la bande pourraient suivre leur chef à cheval. Ils trouvent cependant plus amusant de le faire au volant des bolides électriques que le père de Farès, presque aussi génial que son fils, a eu l'idée de mettre à louer.

Les fauteuils rutilants sont exposés dans le hall d'entrée de l'hôtel et tous les jeunes qui le souhaitent peuvent les essayer. (Leurs parents, eux, ne pensent qu'à monter au plus vite l'un ou l'autre des chevaux du ranch, qui sont des mustangs.)

Bon, alors, ce matin, la bande de cow-boys en fauteuil roulant essaie de suivre le chef qui roule ventre à terre vers une petite oasis fréquentée par les bêtes sauvages du désert.

Tout à coup, non loin du bosquet de palmiers qui frémissent de chaleur à l'horizon, Farès aperçoit la horde de chevaux. En ouvrant les narines et en levant les sourcils très haut, il se tourne vers Wilfredo qui comprend très bien cette remarque (de niveau « à s'arracher les cheveux », comme on l'a vu précédemment).

« Ouais, ils sont super ! » répond Wilfredo.

Le chef a envie de faire la course avec eux et il s'élance à leur rencontre. Les chevaux ne sont pas surpris. Ils connaissent bien ce drôle de gamin, mi-métal, mi-humain, et ils acceptent souvent de jouer avec lui. Et avec ses curieux amis qui s'enlisent ou basculent dans le sable en essayant de les rattraper !

Les gars admirent eux aussi les chevaux sauvages. Magnifiques et musclés, semblant courir juste pour le plaisir.

Mais ils admirent encore plus leur chef qui court avec eux sans jamais tomber.

Farès file à 10 km/heure, le vent siffle dans ses oreilles et soulève ses cheveux. Il adore ça.

Même si, dans ses rêves, Farès marche et monte à cheval, jamais il n'a espéré vivre sur ses deux pieds.

Son fauteuil et lui sont unis pour la vie.

Il le sait. Il l'accepte.

Et c'est peut-être cette absence de désirs impossibles qui laisse en son cœur une grande place pour le bonheur.

Oui, Farès est heureux.

Même si les chevaux filent toujours plus vite que lui.

Même s'il ne sera jamais un gars ordinaire.

Après la course dans le désert, les jeunes de la bande se lancent dans la piscine. Farès, lui, reste sur le bord et observe un chien qui joue avec une balle.

La balle tombe dans la piscine, le chien saute dans l'eau, sur la tête de Wilfredo. Wilfredo boit la tasse, mais il ne coule pas, grâce à ses quatre bouées et à son gilet de sauvetage.

Le chien ressort de la piscine, s'ébroue, saute sur les genoux de Farès et lui remet son jouet, avant de lui lécher énergiquement le visage.

Farès rit de si bon cœur que toute la bande en fait autant. Puis, son index gauche se met à gigoter et bientôt, avec des mouvements saccadés, sa main se pose sur la tête de l'animal. Les yeux écarquillés de plaisir, Farès flatte la tête du chien.

Wilfredo le regarde et sourit. Pour la centième fois au moins, depuis son arrivée au ranch, il se dit qu'il est chanceux d'avoir un pareil ami.

CHAPITRE 5

L'héroïne s'en vient

Depuis une semaine, le sable et les cow-boys cuisent à feu doux sous le chaud soleil du désert. Mais, ce midi, il fait une chaleur mortelle. Tous les animaux se sont réfugiés dans leurs abris. Les quelques cow-boys et cow-girls qui ne se sont pas cachés à l'ombre ou à l'air climatisé rêvent soit d'une douche froide, soit d'une crème glacée, et sont sur le point de perdre connaissance.

À part ces malheureux sans cervelle ou sans expérience, rien ne bouge autour du Ranch de la Montagne, même pas le plus léger des grains de sable, car il n'y a pas le moindre souffle de vent.

Il fait très chaud et c'est très bien.

Parce que l'héroïne aime ça et qu'elle s'en vient...

Au loin, en effet, se fait soudain entendre le bruit d'un moteur de voiture.

En dehors de ce ronflement, c'est le silence total. Les cow-boys et cow-girls qui se promenaient au soleil sont déjà tombés dans les pommes.

La voiture roule très vite et soulève un nuage de sable blond sur son passage. Un gros oiseau effrayé s'envole à son approche et se dirige à tire-d'aile vers la montagne bariolée.

La limousine couverte de poussière dorée freine bientôt près de l'entrée de l'hôtel. Une jeune fille en sort immédiatement, s'appuyant sur des cannes pour se mettre debout.

Elle est vêtue d'une robe blanche un peu sale (parce qu'elle a renversé du jus de fruits

dessus) et, puisque son chapeau ne fait pas d'ombre sur son visage, on peut voir que ses yeux sont noirs.

C'est Farès qui serait content de le savoir, car c'est l'héroïne de son rêve qui réapparaît enfin dans l'histoire. (Oui, oui, c'est elle ! Même si, au lieu des bottes de cow-boy rouges, elle porte des orthèses tibiales beiges et des bottes de cow-boy bleues.)

Mais, Farès est avec Wilfredo dans sa chambre climatisée (ils regardent *Star Trek* à la télé !), alors il ne peut constater que l'héroïne a choisi ce midi torride pour débarquer dans sa vie.

Ophélie avale une goulée d'air brûlant et sourit. (Comme on l'a dit tantôt, elle adore la chaleur !) Tandis que sa tante et le chauffeur se chargent des valises et commencent déjà à transpirer, elle admire tranquillement le paysage. Elle aperçoit aussi le gros oiseau effrayé qui vole toujours en direction de la montagne bariolée.

Eh oui ! Ophélie a une vue parfaite. Absolument parfaite. C'est très rare, ça. Personne d'autre, dans cette histoire du moins, ne pourrait distinguer un oiseau, même gros, à des kilomètres de distance.

Dans le cas d'Ophélie, on pourrait aussi parler d'une vue plus-que-parfaite, car elle distingue les pensées les plus secrètes dans la tête des gens qu'elle côtoie. C'est encore plus rare, ça !

Ce don, elle le garde caché, bien sûr. Vous imaginez ce qui se passerait si les gens le savaient ? Hum ? Certains voudraient se servir d'elle pour découvrir ce que pensent leurs maris, femmes, enfants, amis ou ennemis, tandis que d'autres la fuiraient comme la peste pour éviter qu'elle lise dans leur esprit. La vie ne serait pas drôle, c'est certain. Alors motus et bouche cousue !

Ophélie ne parle de cette faculté spéciale que dans son *Journal d'une voyante*, le livre qu'elle écrit et qu'elle compte publier sous un pseudonyme, pour que personne ne la reconnaisse. Ophélie veut devenir une célèbre auteure inconnue ! (Même si, parfois, elle se voit courir vers une scène où deux stars lui remettent un Grand Prix de littérature !)

C'est son premier livre et elle prend ce projet très à cœur. Son journal ne la quitte jamais. Au moindre moment de solitude, elle l'ouvre pour y raconter ce qu'elle voit ou ce qu'elle vit.

Un peu plus tard ce midi-là, par exemple, pendant que sa tante se jette sous une douche froide, Ophélie sort son cahier et se dépêche d'y relater son arrivée au Ranch de la Montagne.

Journal d'une voyante
30 juin 1970

Je déteste la mer. Les algues, ça me dégoûte! Les raies avec leur queue électrique, ça me fait peur! L'eau salée, ça me fait mal! Parce que le sel irrite les plaies de mes jambes.

Je détesterais encore plus une mer glacée. Comme celle du Groenland où mes parents voulaient m'emmener. Je n'aime pas avoir froid, moi. Je me passe très bien de la neige, de la glace, des manteaux d'hiver et des grosses bottes fourrées. Alors je n'y suis pas allée.

Mes parents ont accepté que je vienne plutôt ici, à condition que ma tante Jeanne m'accompagne.

Ici, c'est très, très loin de la mer. C'est un ranch à côté d'un désert. Un vrai désert avec du sable et des cactus. J'ai deux semaines pour m'y promener. Avec mes jambes de fille handicapée, ce n'est peut-être pas si facile, de marcher dans le sable.

J'essaierai de le faire à cheval, si je suis capable. Mais pas question de louer un fauteuil roulant.

C'est le proprio de l'hôtel qui m'a parlé de cette possibilité. Il a jeté un coup d'œil à mes cannes et à mes orthèses, puis il m'a fixée droit dans les yeux. «Ces fauteuils sont très confortables», a-t-il précisé.

Dans son esprit, j'ai vu qu'il me serrait gentiment dans ses bras en disant ça. Il n'a pas osé le faire, bien sûr. Il ne me connaît pas. Il a juste souri.

Ce monsieur est vraiment sympathique. Ça fait du bien de rencontrer quelqu'un qui n'a pas pitié de moi. Lui, il me voit comme une belle fille qui marche d'un pas dansant.

C'est comme ça que Mamie me voyait, elle aussi.

CHAPITRE 6

La Mamie d'Ophélie

Ophélie se fait couler un bain.

Puis, elle ouvre sa valise, en sort un 33 tours de Pink Floyd (un groupe hyper-populaire en 1970) et le fait jouer sur son tourne-disque portatif.

Alors, comme le ferait un puissant coup de vent, la musique la soulève et la transporte dans un souvenir : elle voit l'affiche du groupe épinglée au pied de son lit, une odeur de lavande se faufile dans son nez, puis elle entend le rire de sa Mamie qui danse bientôt autour d'elle en répétant : « Tu vas réussir ! Tu vas marcher ! »

La Mamie d'Ophélie sent la lavande et ressemble à Jackie Kennedy, la femme du président des États-Unis dans les années 1960. Ses cheveux sont roux, plutôt que noirs comme ceux de Mme Kennedy, mais ils sont coiffés exactement de la même manière : courts, très crêpés et tout à fait immobilisés grâce à une espèce de colle en aérosol.

Avec ses pantalons serrés et ses chandails à col roulé, elle est loin d'avoir l'air d'une mémé dans la soixantaine. Elle n'a même pas de rides, à part les rigoles creusées par le rire dans ses joues.

La Mamie d'Ophélie est mince, bourrée d'énergie, et elle aime s'asseoir les pieds en l'air dans les fauteuils et les sofas. Elle est aussi capable de marcher sur les mains.

Elle n'espère pas que sa petite-fille en fasse autant, oh non ! Elle souhaite juste

PiNK
FLOYD

qu'Ophélie puisse un jour danser. Pour ce qui est de marcher normalement, c'est comme si c'était déjà fait, car, dans ses rêves, la Mamie voit Ophélie debout. Tout le temps, tout le temps.

L'héroïne de cette histoire croit dur comme fer aux rêves de sa grand-mère chérie. Sa confidente. Son inspiratrice. Sa plus grande amie. Qui est morte, le mois dernier.

Ophélie veut faire honneur à sa Mamie. Elle veut vivre debout, à la même hauteur que les autres.

Même si, depuis longtemps, et encore maintenant, vivre debout la fait souffrir. Énormément. Tout le temps. Tout le temps.

Le disque est fini. Ophélie quitte sa Mamie et revient au présent. Encadrée dans la fenêtre de sa chambre du ranch-hôtel, la lune brille au-dessus de la montagne bariolée.

La jeune fille sort ses jambes du bain d'eau glacée dans lequel elle les faisait tremper. C'est le meilleur moyen qu'elle a trouvé pour faire taire la douleur causée par ses orthèses : immerger ses jambes bleuies et irritées dans l'eau glacée, et se réfugier dans un moment heureux de son passé.

Quelques gouttes d'eau salée se mêlent à l'eau du bain. Malgré son stratagème, Ophélie n'a pas pu s'empêcher de pleurer. Comme chaque jour.

Mais la volonté de l'héroïne est aussi dure que l'acier. Elle n'abandonnera pas. Bientôt, elle en est certaine, ses jambes seront fortes et elle marchera sans souffrir.

CLAC
CLAC

CHAPITRE 7

Un vrai coup de foudre

C'est seulement le lendemain de son arrivée que Farès aperçoit Ophélie. Assise à la terrasse du Ranch de la Montagne, vêtue d'une longue robe blanche (pas sale du tout), elle joue aux cartes avec sa tante.

Ophélie déteste jouer aux cartes.

Et puis, elle trouve qu'il y a trop de monde dans cet hôtel. Ils font du bruit, ils rient fort, ils crient dans la piscine…

Elle voudrait que de la musique entre dans ses oreilles et l'isole de tous les bruits, de tout le reste. Elle rêve, sans le savoir, d'un iPod et d'une paire d'écouteurs... (Pas de chance pour elle, ces appareils ne seront inventés que dans une trentaine d'années !)

Ophélie n'est pas de bonne humeur, mais elle est toujours aussi jolie. D'ailleurs, quand Farès découvre cette fille tout droit sortie de son rêve (d'autant plus que ses orthèses sont cachées par sa robe et ses cannes déposées sous sa chaise), un coup de foudre le paralyse.

Enfin, disons qu'il est plus paralysé que d'habitude : son visage et son index gauche en restent babas.

Et c'est à cet instant-là exactement que, pour la première fois de sa vie, Farès a envie d'être autrement.

Il a envie de se lever, de lui prendre la main et de danser avec elle.

En d'autres mots, il voudrait être un garçon normal, grand, fort, musclé, et bon danseur en plus.

Dans la vraie vie, pas juste dans ses rêves.

C'est un vrai coup de foudre, ça ! Un tremblement de cœur de magnitude 10 au moins sur l'échelle des émotions (qui va de 1 à 10, comme chacun le sait).

Il est si secoué qu'il se sauve sans même attendre de croiser le regard de l'héroïne.

Ophélie, elle, n'a pas remarqué sa présence.

Eh oui ! C'est comme ça ! La première fois que l'héroïne rencontre le héros, elle ne le voit pas ! Hum... On se demande ce qui se serait passé si elle l'avait regardé...

Eh bien, si Ophélie l'avait suivi des yeux, elle aurait vu Farès foncer aveuglément devant lui (l'amour rend aveugle, c'est bien connu !) et percuter un autobus à l'arrêt, près de l'entrée du ranch-hôtel.

Elle aurait vu jaillir de cet autobus un flot de vieilles dames vêtues en cow-girls... et ces mémés se ruer sur le garçon en ne lui laissant pas la moindre chance de parler, ni la moindre miette d'air à respirer.

Elle aurait vu Wilfredo sortir Farès de la mêlée et l'entraîner à l'écart.

Elle aurait peut-être même parlé aux deux garçons…

Mais, au moment où Farès est frappé par un coup de foudre, Ophélie ne voit rien parce qu'elle broie du noir. C'est justement ce qu'elle raconte dans son journal, ce soir-là.

Journal d'une voyante
Premier juillet 1970

Je suis venue ici parce que je pensais que, dans le désert, il n'y aurait personne. Je suis venue ici pour avoir LA PAIX!

Je n'ai qu'une envie, fuir l'hôtel et ses clients.

À pied, à cheval ou en fauteuil roulant, n'importe comment!

CHAPITRE 8

Une vedette sentimentale

À cheval sur un mustang du ranch, un cow-boy essaie de cacher son visage derrière de grosses lunettes noires et un large chapeau.

En fait, ce gars-là essaie très fort d'avoir l'air d'un cow-boy véritable, mais ses mains de musicien le trahissent : de longues mains fines et blanches avec, en plus, un élégant jonc doré glissé au petit doigt de sa main gauche. (À force de manier des lassos et les rênes de leurs chevaux, les vrais cow-boys ont de grosses mains calleuses, tout le monde sait ça !)

En tout cas, en le croisant près de l'écurie, Wilfredo le reconnaît sans l'ombre d'un doute car, aussi incroyable que ça puisse paraître, ce gars-là est son chanteur préféré ! Eh oui ! Wilfredo a acheté tous ses microsillons, il peut fredonner toutes ses chansons, il sait qu'il a trois enfants, une femme extraordinaire qui dessine les pochettes de ses disques, des fans par milliers, et aussi qu'il adore les tartes aux pommes, la crème glacée et… oui, bon, O.K., il sait tout de lui parce que c'est son idole !

Il y a tout de même un secret que Wilfredo ignore, parce que son idole n'en parle jamais : l'anneau d'or qu'il porte au doigt est le jonc de mariage de sa mère décédée, à qui il dédie tous ses concerts. Joli secret, non ?

Ce chanteur au grand cœur, cet artiste adulé par les foules et par Wilfredo, appelons-le La Vedette, pour respecter son désir de venir au ranch incognito. Il n'y restera d'ailleurs qu'un seul jour, pour souffler un peu avant

d'entreprendre sa série de spectacles à Las Estrellas.

C'est à l'heure où le soleil descend derrière la montagne bariolée que Wilfredo voit La Vedette quitter le ranch au galop, une guitare accrochée à son dos. Sans doute pour aller chanter dans le désert comme il aime le faire. Wilfredo l'a lu, ça aussi, dans ses revues de musique pop.

Le garçon peut à peine croire ce qu'il vient de voir. Il est si emballé qu'il démarre à toute allure derrière le cavalier, oubliant qu'il a promis de rejoindre Farès dans sa chambre.

Mais que fait donc le héros dans sa chambre, on se le demande (n'est-ce pas ?).

Eh bien, il ne fait rien.

Rien de rien, à part ruminer des idées noires : « Elle ne m'aimera jamais, je suis malheureux, elle est si belle, et moi si maigrichon, si timide... » et des tas d'autres pensées de cette couleur-là, juste bonnes à lui flanquer la migraine.

C'est la première fois que la foudre le frappe. Il est sonné et ne sait trop comment se défendre contre le malaise qui malmène son cœur. Il ne remarque même pas que Wilfredo est en retard.

Pendant ce temps, en dépassant joyeusement sa limite de vitesse en fauteuil roulant, Wilfredo a fini par rejoindre La Vedette près de la montagne.

L'artiste est descendu de cheval, lui a signé un autographe et chante à présent son numéro un au palmarès de la musique pop, juste pour lui. (Le mustang du ranch semble aimer ça, lui aussi.)

La chanson est sentimentale et le garçon a des larmes dans les yeux. Wilfredo est un grand sensible. Il adore les histoires d'amour, les films d'amour, les chansons d'amour et les petits mots d'amour que sa mère glisse parfois dans ses poches. Wilfredo aime aussi faire des câlins et en recevoir. Même les grosses bises de son père ne le gênent pas du tout.

En retournant au ranch, juste après cette rencontre mémorable, Wilfredo a l'impression de flotter au-dessus du sable. Quand il rejoint enfin Farès dans sa chambre, il est si excité et si heureux qu'il ne remarque pas tout de suite l'état lamentable de son ami. Il lui raconte son aventure et commence à fredonner la chanson, en faussant affreusement, malheureusement.

« C'est super, mais j'ai mal à la tête », lui fait comprendre Farès, dans son vocabulaire.

« Frapper un autobus, ça secoue le cerveau, c'est certain ! » lui répond Wilfredo un peu distraitement.

« Je suis malheureux, je suis malheureux », pense encore Farès, sans le dire toutefois. Et son mal de tête se transforme en grosse migraine. (Qu'est-ce qu'on disait tantôt, hein ? Eh bien, ça y est, il a la migraine !)

Pour lui remonter le moral, Wilfredo l'entraîne au casse-croûte de l'hôtel. Là, il met une grosse poignée de monnaie dans un juke-box pour faire jouer des tas de disques de La Vedette.

Et tandis que les chansons d'amour égratignent encore plus le cœur de Farès, Wilfredo choisit une carte postale du désert et écrit à sa mère.

Allô, ma belle maman,

C'était une journée extraordinaire, aujourd'hui. J'ai rencontré mon idole, ici, à l'hôtel! Il a chanté pour moi et il m'a même confié un secret. Wow!

Wilfredo

P.S.: Si un jour tu meurs, pourrais-tu me donner ton jonc de mariage, pour que je te garde avec moi toute ma vie?

FAR WEST
D'AUTREFOIS

CHAPITRE 9

Ton amour a changé ma vie

Un peu plus loin dans l'histoire, il y a le héros qui accorde sa guitare sur une scène au milieu du désert. Le désert du Far West d'autrefois. (Eh oui, c'est un autre rêve de Farès !)

En face de lui, encore assise par terre malgré sa robe blanche, l'héroïne aux cheveux aussi blonds que le sable écrit dans un grand cahier.

Il y a aussi la montagne bariolée rose et orangé, qui n'a pas bougé, et les deux chevaux des héros qui attendent patiemment en ne regardant nulle part (ou en examinant un gros nuage blanc poussé par le vent, on ne sait pas trop).

Farès plaque enfin un accord, Ophélie lève la tête et, juste au moment où le héros commence à chanter, cinq cow-boys entièrement blancs surgissent de nulle part (ou du gros nuage blanc, on ne sait pas trop), sautent sur la scène et repoussent Farès vers l'arrière.

Les cinq cow-boys, qui ont des vêtements blancs, des cheveux blancs, des bottes, une batterie et des guitares blanches aussi, entonnent presque aussitôt une chanson pop très sentimentale. Ophélie éclate de rire et applaudit.

Penaud, le héros s'enfuit à cheval alors que la montagne lui renvoie les échos de cette chanson des Classels que l'héroïne aime tant…

Ton amour a changé ma vi-i-i-e, hou, hou, hou…

Il galope et galope, poursuivi par les paroles de la chanson sentimentale qui lui donnent un sacré mal de crâne…

Car j'ai trouvé en toi
Cet espoir merveilleux
Qui me rend si
heureux-eux-eux…

Il galope et galope, toujours face au soleil, comme si ses rayons brûlants pouvaient guérir sa migraine, et jusqu'à ce qu'il se retrouve devant un mur de brouillard bleu. (Personne ne sait pourquoi il est bleu, ce fameux brouillard.)

Sans s'arrêter, il traverse le mur de brume derrière lequel se cache l'Oasis de l'Ermite, avec son eau fraîche et ses grands orangers.

Le héros aperçoit un très vieux cow-boy au sommet d'un arbre. Il est assis sur une branche et chante une belle mélodie sans paroles, en s'accompagnant à la guitare. (Oui, oui, c'est lui, l'Ermite de l'Oasis !)

Le vieillard a des yeux d'enfant joyeux et de longs cheveux qui flottent sur son dos nu avant d'effleurer ses jeans couleur de ciel... Il a aussi sur le front quelque chose qui ressemble à un diamant. En dehors de ce détail bizarre, il ressemble énormément à Farès.

En apercevant le héros au pied de son arbre, le vieux cow-boy lui demande :

– Aimes-tu cette chanson d'amour ?

– Ce n'est pas une chanson, il n'y a pas de paroles, répond le garçon.

– Les paroles, tu dois les trouver. Elles sont en toi, c'est ta chanson ! ajoute le vieil homme en mordant dans une orange.

Farès ouvre les yeux et jette un coup d'œil au réveille-matin : 7 h 15. Il referme les yeux et commence à attendre…

Puis, dans son crâne, une marée de mots vient tout à coup s'échouer. Et Farès cherche ceux de sa chanson d'amour.

CHAPITRE 10

Le cri

La deuxième fois que Farès rencontre Ophélie, c'est le lendemain de ce rêve où le héros malheureux est éclipsé par les Classels. (Ophélie ne les connaît même pas, ces chanteurs-là !)

La jeune fille se rend à l'écurie pour se renseigner sur les cours d'équitation. Farès et Wilfredo sont là pour donner des carottes aux chevaux.

C'est bien sûr Wilfredo qui fait les présentations, car Farès n'arrive pas à produire le moindre signe ni le moindre son.

Allons lire ce qu'Ophélie écrit dans son journal juste après cette rencontre.

Journal d'une voyante
3 juillet 1970

Wilfredo, je l'ai tout de suite ébloui.

Il a examiné mes cannes et les carcans de mes jambes, puis il m'a souri. Avec tant de sympathie que sa pointe de jalousie a fondu dans la chaleur de ses émotions.

Il devinait que mes appareils me faisaient souffrir et il m'admirait parce que je continuais de marcher quand même.

Farès, lui, s'est tout de suite refermé.

J'ai à peine eu le temps d'apercevoir une lueur dans sa tête. Dès qu'il m'a vue, une ombre épaisse est tombée sur ses pensées. Comme un rideau de théâtre qui se referme quand la pièce est finie.

Ça m'a tellement intriguée que j'ai marché vers lui pour voir ça de plus près. Malheureusement, je n'ai rien vu de plus, parce que Farès s'est sauvé en abandonnant ses carottes...

Avant de suivre son ami, Wilfredo m'a fait remarquer que j'aurais toujours besoin de quelqu'un pour monter ou descendre de cheval. J'ai compris que l'équitation n'était pas pour moi. Je déteste demander de l'aide. J'ai donc quitté l'écurie, moi aussi.

Peu après, ce jour-là, Ophélie contourne les autobus garés devant l'entrée de l'hôtel et traverse le stationnement. Elle est munie d'une collation, de son journal et d'une provision de crayons, tout ça bien rangé dans le sac du fauteuil roulant qu'elle a loué.

Eh oui ! Elle s'est laissé tenter, finalement ! Mais elle se sent un peu coupable, comme si elle trahissait la confiance de sa Mamie.

Elle quitte la surface asphaltée et roule dans le sable, lentement d'abord, puis à toute vitesse.

Wow ! Elle a l'impression de se lancer à l'assaut du ciel ! Dans son bolide électrique, elle vient de découvrir la liberté !

Notre héroïne vit plusieurs secondes de pur bonheur.

C'est toutefois à ce moment-là qu'un petit serpent vient zigzaguer juste devant son nez !

Notre Ophélie a terriblement peur des serpents (des araignées, des tarentules et des coyotes aussi, d'ailleurs). Elle pousse un cri affolé, ...

HIIIIIIII !

... perd le contrôle de son véhicule, frappe une grosse roche et tombe vers l'avant (à côté de la roche, heureusement), car elle a oublié d'attacher sa ceinture de sécurité.

Alors qu'elle plonge dans le sable, l'autobus des vieilles cow-girls, qui vient aussi de quitter l'hôtel, freine près d'elle.

Un peu étourdie, Ophélie relève la tête, crache du sable et oublie le serpent (qui s'est sauvé, le chanceux). Les mémés la couvrent de caresses et de baisers, tout en la rassoyant dans son fauteuil roulant.

– Pauvre petite fille !

– C'est pas drôle d'être handicapée !

– Elle est si belle, la pauvre enfant !

Ophélie se sent assaillie, pour ne pas dire attaquée, par les vieilles dames. Elle déteste que des étrangers la plaignent, ou entrent dans sa bulle, ou la touchent, ou, pire que tout, se permettent de lui donner des bisous !

Notre héroïne vit donc plusieurs minutes de malheur intense.

C'est dans cet état qu'elle rencontre Farès pour la troisième fois. Laissant sa bande loin derrière lui, le chef vole à son secours en poussant un cri affreusement rauque et féroce, un cri d'animal en colère impossible à supporter.

Effrayées par ce jeune handicapé qui semble fou furieux, les mémés se réfugient dans leur autobus et le véhicule repart sur les chapeaux de roues. Les gars de la bande poursuivent l'autobus en poussant à leur tour des cris effrayants.

Wilfredo rattrape Farès et lui tape sur l'épaule pour le calmer. Il est ébahi par le comportement de son ami…

Farès rit souvent, gazouille de temps à autre et pousse parfois de petits gémissements. Mais jamais, jamais, il ne crie ! Des migraines, des cris, de la mélancolie… Qu'arrive-t-il à Farès, ces temps-ci ?

Ophélie regarde Farès avec surprise et une bonne dose d'admiration.

Farès fixe Ophélie avec une pointe de fierté dans son sourire.

Il cache si bien son amour et tout ce qu'il voudrait dire que, dans l'esprit de son sauveur, Ophélie ne voit encore rien. (Ah ! Il est fort, ce Farès, quand même !)

En se concentrant énormément, elle finit toutefois par distinguer quelque chose : une sorte de gros coffre cadenassé. (Ah ! Elle n'est pas mal non plus, cette Ophélie !)

La voyante n'en revient pas. Les pensées de Farès sont si bien enfermées qu'elle ne peut pas les deviner ! Ça ne lui est jamais arrivé !

Ophélie veut à tout prix découvrir le secret de Farès. C'est un vrai défi pour une voyante comme elle !

Après un vague salut de la tête, le chef part rejoindre sa bande, tandis que Wilfredo s'approche d'Ophélie.

Et la voyante trouve tout à coup comment relever son défi. Ah, ah, ah ! La solution, c'est Wilfredo ! L'esprit de ce dernier est aussi clair que l'eau d'une rivière non polluée. En plongeant dedans, elle découvrira vite une piste, ou peut-être le secret lui-même ! (Hé, hé, hé ! Elle ignore encore que Wilfredo l'ignore, lui aussi, ce secret !)

Tout à fait inconscient de ce plan, Wilfredo offre à Ophélie un cours de conduite en région désertique. Charmée par la gentillesse et l'enthousiasme du garçon, la jeune fille oublie vite le mystère de Farès pour se consacrer entièrement à l'apprivoisement de son bolide roulant.

CHAPITRE 11

L'amour

Le lendemain de sa chute, Ophélie s'aventure toute seule dans le désert. À l'ombre d'un cactus géant, elle écoute le silence : elle le respire, elle le boit, elle nage dedans, elle en remplit ses oreilles, ses bras, ses mains, sa poitrine...

Ses orthèses sont restées dans la salle de bain, mais elle se sent à peine coupable.

« Ma belle Mamie, pense-t-elle. Je prends un autre jour de congé, sans larmes et sans souffrance. Un jour entier, juste pour m'amuser. »

Ophélie est contente. Ses jambes libérées se relèvent à l'horizontale et flottent devant le fauteuil roulant. Le silence règne dans sa tête.

De nouvelles pensées en profitent pour entrer dans son esprit dont la porte est grande ouverte.

Ça commence par un truc qui fait BOUM. Un espoir, un grand, celui de vivre un amour terriblement romantique, et heureux bien sûr. En arrière de cette pensée géante arrive l'image d'un bébé qui rit, partout, tout le temps. Ensuite, celle d'une maison de rêve avec ascenseur, piscine et grand jardin fleuri. Puis l'amoureux dans la piscine et Ophélie dans le jardin avec le bébé…

Wow ! Ophélie est tout énervée !

Elle ouvre son cahier et commence à griffonner…

Journal d'une voyante
4 juillet 1970

Avant, je croyais que l'amour, ce n'était pas pour moi.

Je me voyais à travers le regard d'autres personnes. Des gens qui me prennent parfois pour une attardée mentale, d'autres fois pour un pauvre petit animal qui n'aura jamais la chance d'être normal ou, encore mieux, pour une erreur de la nature ou de la vie.

Quand on est une erreur, on sait que ces autres-là n'ont pas trop envie de nous voir, dans la rue, à l'hôtel, à la plage. On sait qu'on fait mal aux yeux...

C'est sûrement pour ça qu'ils font semblant de ne pas nous remarquer ou qu'ils regardent à côté quand on les croise, quelque part, dans leur monde.

Mais là, aujourd'hui, à treize ans, en plein désert, je viens d'avoir une vision extraordinaire.

Un amoureux a surgi dans mon esprit.

Il est apparu d'un seul coup et je l'ai rejoint en fauteuil roulant.

Lui, il était à cheval. Même si c'était un cow-boy grand et fort, ses yeux étaient remplis de mots doux. Il m'a soulevée sans effort et m'a déposée sur sa monture.

On a galopé ensemble dans le silence du désert.

Je n'avais plus peur, je n'avais plus mal, je me sentais légère comme une plume.

J'étais une femme et je savais que c'était lui, mon homme, mon amoureux, pour longtemps, pour toujours...

On est allés jusqu'en haut de la montagne. Je n'ai pas eu le temps de regarder de l'autre côté, parce que ma vision s'est arrêtée là.

Je sais bien que ça n'a pas de bon sens, j'ai seulement une drôle d'impression. Je pense que j'ai vu l'amoureux que je rencontrerai quand je serai plus vieille.

Je sais que c'est une pensée folle. Que c'est peut-être juste un effet du désert ou du soleil qui me tape sur la tête.

Mais j'ai une pensée encore plus folle: je pense que je peux vivre heureuse en fauteuil roulant!

CHAPITRE 12

Un do par-ci, un fa par-là

Les jours passent.

Farès rit de moins en moins et ne rêve plus du tout.

Désormais, ses nuits sont vides et ses matins, tous pareils.

Depuis qu'Ophélie est au ranch, Farès est tout gris. Il est distrait, il n'a plus d'appétit, la lumière de ses yeux a disparu.

Une chanson d'amour est enfermée dans son esprit et voudrait en sortir.

Mais Farès est incapable d'avouer ses sentiments.

Alors la chanson cogne et cogne à la porte de sa prison. Et Farès a terriblement mal à la tête.

Avec une vague nausée, le chef regarde ses hommes s'empiffrer de saucisses, d'œufs au plat, de patates rôties et de crêpes au sirop. (Un autre petit déjeuner très populaire au Far West !)

Ce matin, le héros n'a pas envie de se balader. Mais la bande réclame à grands cris le village fantôme qu'il leur a promis.

Un chef n'a qu'une parole, même dans le langage codé d'un chef handicapé, et même si Wilfredo lui fait la mauvaise surprise d'inviter Ophélie à les suivre.

Les gars rouspètent un peu. La présence d'une fille les dérange, quoique celle-là a l'air décidée et qu'elle est habillée en cow-boy de la tête aux pieds. (Par chance, elle ne porte pas sa robe blanche !)

La piste de terre qui mène au village fantôme est dans un état épouvantable et ce n'est pas du gâteau de s'y lancer en fauteuil roulant. (Exactement comme Wilfredo l'avait dit !) Après une heure de trajet dans les nids-de-poule et le gravier, les gars (et la fille) sont couverts de poussière. Ils sont cependant très excités de toucher au but de l'expédition : un tas de maisons en ruine que le vent fait chanter en traversant leurs murs grisonnants.

Sitôt arrivés, les jeunes s'éparpillent gaiement dans la rue principale, collant leur nez aux fenêtres pour découvrir divers trésors du passé : des divans éventrés, des lits aux ressorts rouillés, des jouets cassés, des tonneaux défoncés, ainsi que de grands portraits de vrais cow-boys accrochés aux murs, à côté de cornes de taureaux d'autrefois et jaunies par le temps.

Farès s'installe à l'ombre d'une maison et ferme les yeux. Il semble y avoir un nuage noir au-dessus de lui. « Pourquoi est-il si triste et si compliqué ? » se demande encore Wilfredo, alors qu'Ophélie et lui se promènent ensemble dans les rues poussiéreuses.

La voyante a vite découvert que le garçon ne partageait pas le secret de Farès. Elle recherche quand même sa compagnie parce que, d'après elle, Wilfredo est le gars le plus gentil du Far West !

Abandonnées depuis des dizaines d'années, les bicoques du village sont pas mal délabrées, sauf la petite école qu'un vieux cow-boy du coin entretient avec soin. Wilfredo remarque toutefois que la porte de l'école a été défoncée. Il se précipite à l'intérieur, suivi par une Ophélie qui redoute un peu que le vieux plancher de bois cède sous leur poids.

Les autres continuent d'errer dans les rues désertes jusqu'à ce que, soudain, une musique étrange monte dans l'air, enterrant les sifflements du vent. Même les plus hardis de la bande sursautent nerveusement.

C'est Farès qui, le premier, découvre Wilfredo penché sur le vieux piano de l'école.

En chantonnant tout bas, il joue un air vraiment sentimental sur le piano franchement désaccordé. À cause des notes fausses, cette musique romantique est aussi déglinguée que les maisons du village, mais, de l'avis d'Ophélie, elle a quand même beaucoup de charme.

À la fin du morceau, Farès éclate de rire. Ophélie et Wilfredo se tournent vers lui, qui mime quelque chose que seul Wilfredo comprend.

En scrutant ce Farès souriant, la voyante entend tout à coup de la musique assourdie.

De la musique qui veut s'échapper du coffre qu'elle voit dans son esprit !

Oh, juste quelques notes. Un do par-ci, un fa par-là. Rien qui ressemble à une mélodie ou au morceau de Wilfredo. Mais, Ophélie en est certaine, c'est bien une chanson qui essaie de s'évader de sa prison.

Avant qu'elle ait le temps de deviner autre chose, le chef détourne le regard et s'enfuit auprès de ses gars.

La voyante comprend alors qu'elle doit lui laisser son secret. Elle ne veut pas le lui voler. Même si elle a l'impression qu'un trésor lui file entre les doigts.

CHAPITRE 13

La chanson de Farès

Le bruit.

Farès nage dedans.

Les mots grondent en lui, aussi fort que la mer. Leur vacarme l'étourdit et le blesse.

Farès n'en peut plus d'avoir mal à la tête.

Surtout qu'il commence à avoir mal partout. Aux doigts, aux genoux et aussi à l'estomac.

Il a passé toute la journée dans sa chambre et, ce soir, il comprend enfin que, si elle ne sort pas, sa chanson d'amour va pourrir en lui.

Est-il possible qu'Ophélie l'aime aussi ? C'est ce qu'il se demande. Sans trop d'espoir.

Hier, dans ses yeux, il a vu de la surprise, de la curiosité, de la gaieté. Rien cependant qui ressemble à la mer qui le bouleverse et l'assourdit, lui.

Est-ce que l'amour peut naître petit à petit, au lieu de vous assommer à grands coups de vagues ?

Il n'en sait rien, Farès.

Il a beau être super-intelligent, et même génial, l'amour, il ne connaît pas ça.

Il sait juste qu'il n'a pas le choix. Il doit laisser vivre sa chanson et l'offrir à Ophélie, qu'elle soit amoureuse ou pas.

Au moment où Farès prend cette décision, on frappe à la porte de sa chambre.

C'est Wilfredo qui a frappé et, derrière lui, il y a Ophélie ! (Aïe, aïe, aïe ! Quelle coïncidence, n'est-ce pas ? Mais dans la vraie vie, il y en a plein, des coïncidences comme ça. Tout le monde le sait !)

« Elle veut savoir si tu es d'accord pour qu'elle reste dans la bande », annonce Wilfredo en poussant sa nouvelle amie devant lui.

Farès reste sans voix. Ça, ce n'est pas nouveau puisqu'il ne parle jamais. Ce qui est différent, cette fois, c'est qu'il ne se débine pas devant l'héroïne. Plus question de se sauver ou de se refermer. Le temps est venu pour le héros d'être brave.

L'esprit et le cœur ouverts, il s'approche d'Ophélie et lui tend une main qu'elle saisit sans faire de chichi. (Farès lui-même lui offre la clé de ses pensées. Elle est bien trop curieuse pour refuser !)

Ce qu'elle voit alors la ferait tomber par terre, si elle n'était pas assise dans un fauteuil roulant.

Cette vision-là est si extraordinaire, et si jolie !

Cette vision-là, Ophélie s'en souviendra toute sa vie…

Dans l'esprit de Farès, il y a un désert et des mers de sable.

Il y a aussi le nez d'un drôle de bonhomme, avec Apollo 11 qui se pose droit dessus. (Oui, oui, c'est le nez du bonhomme dans la lune. Celui que les enfants voient quand elle brille au-dessus d'eux.)

La porte de la navette s'ouvre et un cow-boy en sort.

Il marche dans l'atmosphère sans air, léger, si léger qu'il semble flotter.

Une cow-girl vêtue d'une robe blanche s'avance vers lui, en jouant avec ses cannes comme avec des bâtons de majorettes, tout rouges.

Le héros ouvre les bras, l'héroïne lance les cannes et s'y blottit.

La navette frémit et laisse s'échapper une mélodie pop. Puis des paroles enchevêtrées et romantiques.

Quand je te vois, je m'envole vers la lune
Armstrong, c'est moi
Et je fais mes premiers pas
Dans tes bras…

Le cow-boy et la cow-girl dansent, légers, si légers qu'ils volent au-dessus du sol.

Et les cannes tournent autour d'eux en captant les rayons du soleil. Elles brillent comme des feux de Bengale, tout rouges.

La voyante est vraiment chamboulée car, bien sûr, elle a reconnu le héros et l'héroïne. Et, bien sûr, elle comprend que Farès est amoureux d'elle. (Elle sait aussi que Neil Armstrong est le premier homme qui a marché sur la lune, en 1969 ! Mais ça, ça ne la chamboule pas.)

Wilfredo, lui, est déboussolé et ne comprend pas ce qui se passe.

Ça fait un bon cinq minutes qu'Ophélie regarde Farès sans parler. Elle semble paralysée dans son fauteuil.

Il secoue le bras de la jeune fille.

« Qu'est-ce qui se passe ? » lui demande-t-il. (Ah, ah ! Nous y voilà !)

Ophélie revient sur terre auprès des deux garçons. Elle les examine un instant ou deux. Osera-t-elle leur dévoiler son don caché ?

Oh, et puis pourquoi pas ? Ces deux-là sont de bons gars, pas besoin d'être voyante pour deviner ça !

Elle leur raconte donc sa vision, tandis que Farès trépigne d'excitation.

« Elle voit ma chanson ! » s'exclame-t-il dans son vocabulaire.

Wilfredo est ébahi. Se pourrait-il que quelqu'un lise mieux que lui dans les yeux de son ami ? Il n'en est pas certain…

Il s'approche de la fenêtre et regarde la lune ronde et blanche au-dessus de la montagne.

Et tout à coup il voit la tête du bonhomme. Et il distingue les deux danseurs et les feux de Bengale rouges.

Il ne peut cependant entendre la musique, car Ophélie est incapable de la chanter. (Elle fausse affreusement, elle aussi !)

Wilfredo éclate de rire.

Et, de joie, il hurle trois belles notes aiguës qui ressemblent au cri d'un coyote.

Loin, dans le désert, un coyote lui répond.

CHAPITRE 14

La vraie vie

Donc, Ophélie a compris que Farès porte en lui une chanson d'amour. Plus que ça, elle sait à présent que Farès l'aime !

Mais…

Non, l'héroïne ne tombera pas amoureuse du héros.

Ni maintenant ni plus tard.

(Et puis, entre nous, Farès ne ressemble pas du tout au gars qu'elle a vu nager dans la piscine de sa maison de rêve, au rythme des rires de leur bébé.)

Elle adore sa chanson imaginaire, elle le trouve génial, elle est même sensible à son charme, sauf que, non, elle n'a pas de coup de foudre pour lui.

Ça se produit quand même assez souvent, dans la vraie vie, un truc du genre. On n'aime pas quelqu'un qui nous aime à la folie, ou vice-versa. On n'y peut rien. Et quand on aime quelqu'un qui ne nous aime pas (c'est ça, le vice-versa...), ce n'est pas une raison valable pour mourir.

Alors non, le héros ne mourra pas de chagrin.

Pas du tout. Jamais.

Au contraire, Farès est content d'avoir découvert en lui une émotion si intense. Et puis, il est épaté de la puissance que l'amour lui a donnée. Non mais, c'est pas rien de composer une chanson quand on est muet et incapable d'écrire ou de chanter !

Non, Farès ne mourra pas. Il sera même plus lumineux qu'avant. Car il sait à présent que l'amour lui donne rendez-vous dans une autre histoire.

Wilfredo, lui, est soulagé parce que Farès a retrouvé son sourire et son énergie. Le soir même, le chef échafaude d'ailleurs avec lui un projet passionnant : une grande virée à Las Estrellas !

Quelques jours plus tard, la bande de gars et une Ophélie ravie voyagent cheveux au vent, dans la boîte des deux camionnettes du ranch. Ils mangent à l'hôtel Venise, sur les gondoles d'un canal géant, ils jouent aux autos tamponneuses, voient un match de soccer et assistent à un concert de La Vedette, dans leurs fauteuils roulants, au premier rang. Le chanteur invite même Wilfredo dans sa loge pour lui présenter ses enfants.

Wilfredo tombe amoureux de toute la famille.

Et vice-versa.

CHAPITRE 15

La fin de l'histoire

À la fin de cette histoire, il y a une voie ferrée qui déroule ses rails de l'autre côté de la montagne bariolée rose et orangé.

Ce chemin de fer d'autrefois trace une ligne droite dans le sable blond, à travers des tas de cactus géants qui lèvent leurs bras vers le ciel d'un bleu acier.

Dans le désert, il y a aussi deux cavaliers qui avancent lentement le long des rails, jusqu'à ce qu'ils entendent le sifflement d'un train au loin. Ils ont tous deux le chapeau enfoncé sur les yeux, mais on les reconnaît très bien parce que ce sont l'héroïne et le héros.

L'héroïne met pied à terre et sent le sol trembler au rythme du train qui s'en vient.

Elle décroche son sac de voyage, attache la bride de son cheval à la selle de celui du héros et se hisse sur le bout des pieds pour lui faire la bise.

Le héros retient sa main. Un instant seulement.

Le train arrive, s'arrête le temps qu'Ophélie grimpe dedans, puis il repart tout doucement.

Farès saisit alors la guitare accrochée à son dos et commence à chanter un succès de Françoise Hardy.

Sous aucun prétexte, je ne veux...
Devant toi surexposer mes yeux...

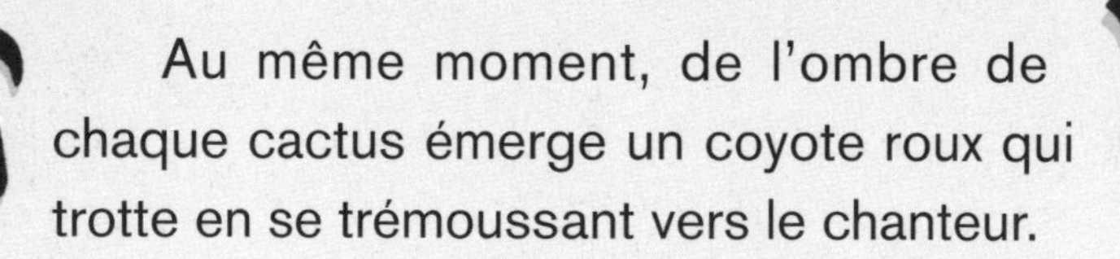

Au même moment, de l'ombre de chaque cactus émerge un coyote roux qui trotte en se trémoussant vers le chanteur.

Une fois rassemblée autour du héros, la meute entonne des « haou, haou » de choristes pour l'accompagner.

Derrière un kleenex, je saurais mieux... haou, haou
Comment te dire adieu... haou haou haou

Ophélie sort la tête d'un wagon, cheveux au vent, sourire aux lèvres et adieu à la main.

Farès et les coyotes continuent de chanter.

Farès a des larmes dans les yeux, mais on ne les voit pas à cause du chapeau de cowboy qui cache son visage. On voit seulement le sourire qu'il dédie à Ophélie.

Quand le train disparaît à l'horizon, le héros essuie ses larmes avec sa manche et galope vers le ranch où sa vie l'attend...

Chambre 102, Ranch de la Montagne, 7 h 15 du matin

Farès s'éveille doucement.

Un chiot au poil roux et au nez pointu saute sur son lit et lui donne son t-shirt.

Farès écarquille les yeux et éclate de rire.

Hall d'entrée, Ranch de la Montagne, 7 h 30

Ophélie voit la limousine couverte de poussière dorée freiner devant l'entrée. Tandis que sa tante confie leurs valises au chauffeur, elle se dépêche de griffonner quelques mots dans son cahier.

Journal d'une voyante
13 juillet 1970

Je ne sais pas pourquoi exactement, mais quand j'ai vu ce chiot à Las Estrellas, j'ai tout de suite pensé à Farès.

Le vendeur de l'animalerie m'a dit que c'était un animal spécial, un coyo-chien trouvé dans le désert à moitié mort de faim. Ses parents, l'un coyote et l'autre chien, l'avaient sans doute abandonné.

J'ai acheté le petit animal et je l'ai offert à Farès. Entre lui et le chiot, ça a tout de suite cliqué.

Faut dire que Farès a quelque chose de spécial, lui aussi. Une sorte de joie tranquille au fond de lui. Même un chiot peut s'en rendre compte!

10 ANS PLUS TARD

J'ai marché sur la lune

Sur la scène d'une grande ville, La Vedette fait encore un tabac. Dans les coulisses, Wilfredo tient la main de sa blonde. Lunettes fumées et chapeau de cow-boy. Il est le nouveau gérant de La Vedette.

Il connaît toutes ses chansons par cœur. Il arrive même à en chanter quelques-unes sans fausser. Sa préférée reste bien sûr la chanson de Farès.

Eh oui ! Par un beau soir de pleine lune, Wilfredo a décrit au chanteur la vision d'Ophélie. La Vedette a alors composé

J'ai marché sur la lune, numéro un au palmarès de cette année-là.

Quand je t'ai vue
J'ai marché sur la lune
J'étais bien loin
Du désert et des dunes...

La main d'Ophélie vole au-dessus de l'ordinateur et tape le point final de son deuxième livre, *Journal d'une amoureuse.* Avec un soupir de bonheur, Ophélie fait ensuite jouer son air préféré : la chanson de Farès que La Vedette a endisquée.

Le bébé rit dans son berceau, pendant que son amoureux la soulève et la fait tournoyer au rythme de la musique.

Oui, oui, c'est l'amoureux qu'elle a décrit dans son cahier quand elle n'avait que treize ans ! Ce fameux jour où elle a décidé de vivre en fauteuil roulant. Ça n'a rien de vraiment surprenant ! Ophélie est une voyante, on le sait depuis qu'on la connaît.

La seule différence entre sa vision et la réalité, c'est que le gars n'est pas un cow-boy. C'est un prof de français dans le Grand Nord.

Dehors il gèle et il neige, mais Ophélie s'en fiche.

Je voudrais savoir
Ce que tu vois
Quand tu regardes
À travers moi…

Au Ranch de la Montagne, Farès a ouvert un chenil-école. L'hôtel accueille des tas d'enfants handicapés qui viennent apprendre à vivre avec leur chien-guide.

Farès est encore célibataire, mais plus pour longtemps.

Aujourd'hui, Mélia est venue voir les chiens Wilfa, parce qu'elle veut ouvrir son propre chenil.

Elle vient d'entrer dans le local d'entraînement où Farès présente un chien à une fillette en fauteuil roulant.

Farès se retourne et le cœur de Mélia s'affole.

Lui, il aperçoit cette belle grande femme en jeans et, pour la deuxième fois de sa vie, il a l'impression de marcher sur la lune.

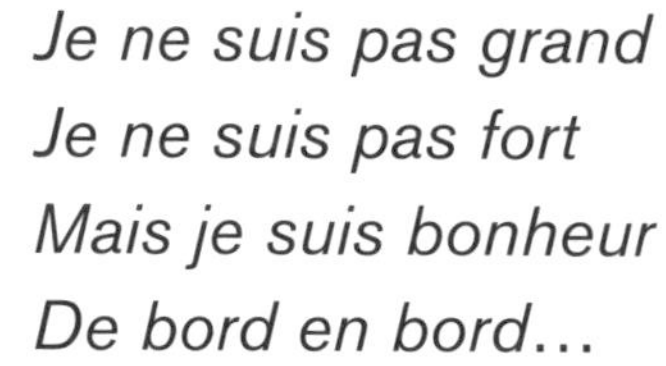

Je ne suis pas grand
Je ne suis pas fort
Mais je suis bonheur
De bord en bord…

Fin du roman mais pas tout à fait la fin du livre...

Parce que l'auteure (non, non, pas Ophélie !) veut ajouter qu'elle a adoré se promener au Far West en compagnie des trois enfants qui l'ont inspirée.

Ces vrais enfants-là portent d'ailleurs les mêmes noms que ceux des héros du roman (l'auteure les trouvait trop beaux pour les changer !), mais ne ressemblent pas du tout aux héros illustrés (l'illustrateur les trouvait trop beaux pour les dessiner !).

L'auteure (oui, oui, c'est Marthe!) sait bien que ce roman semble rempli à ras bord d'anecdotes incroyables. Pourtant elle jure (et crache) que les plus incroyables sont aussi les plus réelles, dans la vie de ses trois enfants-muses. C'est ainsi que, par exemple...

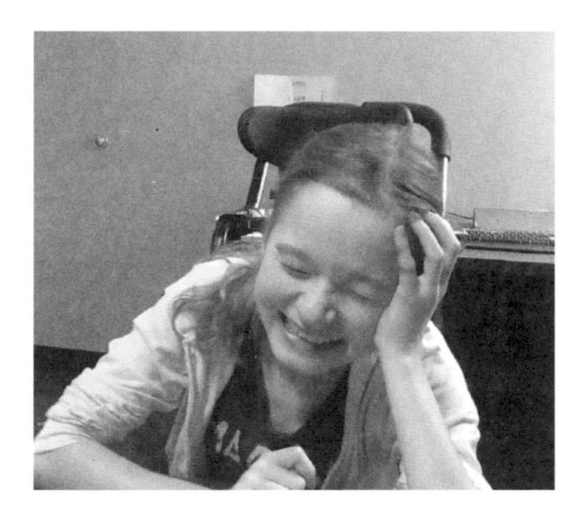

Pendant longtemps, en cachette de sa Mamie, les larmes d'Ophélie se sont vraiment mélangées à l'eau de ses bains glacés.

Puis, elle a choisi le confort et la liberté en fauteuil roulant.

(Et sa Mamie ne lui en veut sûrement pas.)

Wilfredo devine vraiment tout ce que Farès veut dire.

(Il l'a connu à la maternelle, quand même !)

Et c'est le meilleur ami qu'on puisse imaginer !

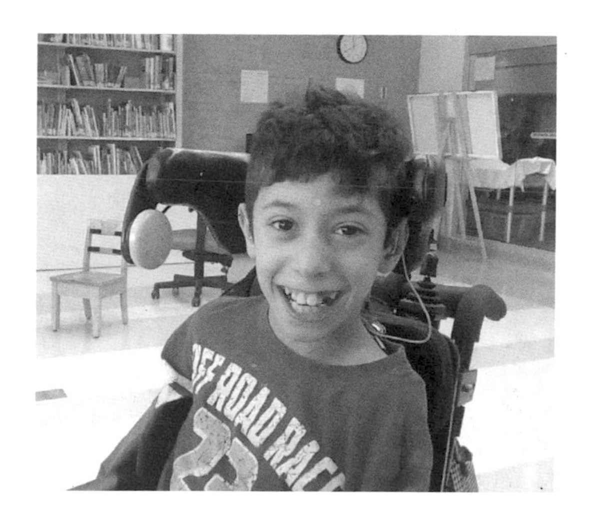

Farès a vraiment rêvé de composer une chanson.

Et il a attendu très longtemps que l'auteure en fasse un roman.

Mais attendre, ce n'est pas grave, quand on est le gars le plus patient du Far West !

Marthe Pelletier

Marthe Pelletier a longtemps, longtemps, travaillé dans le domaine du cinéma documentaire et, avant d'être trop vieille, elle a décidé d'écrire pour les jeunes.

Elle a même réussi à publier de nombreux ouvrages aux éditions de la courte échelle ! Plus récemment, elle a fait paraître, chez Monsieur Ed, *Le méchant qui voulait être pire,* premier tome de sa trilogie « Méchant Far West ».

Après avoir séjourné comme artiste invitée à l'école Victor-Doré, une école pour enfants lourdement handicapés, elle est tombée en amour avec trois d'entre eux et a eu envie de leur écrire une histoire.

Richard Écrapou

Richard Beaulieu, alias Richard Écrapou, travaille dans le milieu de la bande dessinée underground québécoise depuis plusieurs années. Il a publié des livres, réalisé des strips et des illustrations pour des hebdomadaires, autoédité des fanzines et contribué à de nombreux collectifs. Il a aussi illustré le roman graphique *Le méchant qui voulait être pire*, de Marthe Pelletier, chez Monsieur Ed.

Table des matières

Imprimé sur du Rolland Opaque, contenant 30% de fibres postconsommation, fabriqué à partir d'énergie biogaz, certifié FSC® et ÉCOLOGO.